D0191906

ALFAGUARA

ALFAGUARA INFANTIL

LETRAS PARA ARMAR POEMAS

Manifestamos nuestro agradecimiento a todos los que nos han autorizado a reproducir los poemas de los que son autores/as y/o de cuyos derechos son beneficiarios.

Av. Universidad 767, Col. Del Valle
México, 03100, D.F. Teléfono 5420 7530

Alfaguara es un sello editorial del **Grupo Santillana**.
Éstas son sus sedes:

Argentina, Bolivia, Chile, Colombia, Costa Rica, Ecuador, El Salvador, España, Estados Unidos, Guatemala, México, Panamá, Perú, Puerto Rico, República Dominicana, Uruguay y Venezuela.

Primera edición: febrero de 2007

ISBN: 978-970-770-793-3

Impreso en México

Letras para armar poemas

Selección y prólogo Ana Pelegrín

Ilustraciones de Tino Gatagán

Prólogo

Esta nueva antología de poesía para niños[1] refleja la búsqueda permanente de un antólogo que elige la voz de los poetas para intentar construir la visión de un mundo infantil.

El compilador reinterpreta un género literario, el de la antología —del griego *anthos*: flor; y *lego*: seleccionar, elegir—, de constante presencia en la historia de la literatura. El antólogo escoge un manojo de poemas deseando armar un florilegio de formas, figuras, texturas, textos. Quiere recrear, compartir el recreo, el humor, el rumor que se desliza en los poemas. Quiere

[1] Ver Pelegrín, A. *Poesía española para niños*. Madrid. Alfaguara. 1997; *Poesía española para jóvenes*. Madrid. Alfaguara. 1997. Estas antologías tienen un cuaderno de actividades poéticas en el aula redactadas por Graciela Pelegrín y Mario Merlino.

tejer una trama, traer emoción y desenfado, para ofrecer una cartilla poética a la sensibilidad, al oído, al ojo lector del niño menor, mediano, mayor.

En la antología se reúnen los poemas en dos bloques: *Letras* y *Poemas escénicos*. En el primer bloque las *Letras* se suceden en un alfabeto poético de primeras lecciones para leer y recitar. En el segundo, los *Poemas escénicos* son elegidos por su resonancia, por su movimiento, por sus personajes disparatados.

Letras para armar poemas

La organización de esta Cartilla responde a un juego de letras, combinando los poemas según el abecedario; el lector puede cambiar a su antojo el orden de aparición de los textos.

Para construir un nuevo abecedario poético, basta trastocar este orden, quitar y poner aquí y allá. Porque esta sopa de letras vale para cada particular cocina y menú.

Con algunas excepciones, los poemas quieren ser breves, de medida y de ritmo; algunos, en verso libre, se escapan de la estrofa y versificación tradicional, concentrados en la imagen poética.

Como en una sopa de letras, los poemas son de asuntos varios; que si flores, que si bichos, que si animalejos: tortugas, orugas, arañas; abejas, ovejas, caballitos de mar, unicornios; cocodrilos. Un mundo bullicioso de caprichos, de parejas disparejas, de trabalenguas, de teatrillos, de aplausos al *clown,* de juegos y cometas recreando un permanente corazón de verano.

Poemas escénicos

La propuesta de leer y recitar las *Letras* se amplifica en los *Poemas escénicos* por el placer de los niños en interpretar y representar juegos poéticos. Los poemas elegidos por su movimiento, monólogos, diálogos, historias, personajes y situaciones se impregnan de una vivaz potencialidad escénica. Aparecen personajes estrafalarios: Carpanta que quiere tragarse al mundo, Capicúas y Voliches de figuras al revés, Tubas cantantes de rock, Mari Luz y Mari Paz enredándose en un diálogo de atravesada ortografía ceceante:

"mi desdicha ez tan atroz...
tan cin par,
tan espantoza...".

El movimiento, los sonidos, los silencios, las imágenes, atraviesan el corazón de los poemas escénicos. Naturaleza, estaciones y elementos se hacen presentes por el sonido: "Abril", "Siesta", "Otoño", "Lluvia en el jardín", "Cigarra", "Conchas". Se escuchan los ruidos en la ciudad y en la noche: "Algarabías", "Gemidos", "En la oscuridad". El oído atiende al amor de un silbido amoroso, a la voz esperada en el teléfono, a una lección solfeada de amor, *¡si re si!* ("Lección de música"). La música entre imágenes e instrumentos —el timbal, el arpa, la trompeta, la tuba—, se hace ritmo en las manos, en la pandereta y las tejoletas.

Las letras se mueven en el escenario del poema: danza "Don Paramplín" con su sombrero de amapola; bailan los pájaros enamorados ("Bailecito de bodas"); bailan tango "Los esqueletos"; danza el corazón ("Dame la mano", "Receta para danzar", "Los que no danzan").

Algunos poemas suenan en sordina, en las huellas de un giro girando en el aire ("Danza en el huerto"), a veces, en levedad de nada ("Jardines bajo la lluvia", "Canción"), vibración del agua, surtidor de sonido y sueño.

Procedimientos poéticos

Los poetas recurren a diversos artificios de la poética literaria:

- Verso, estribillo, encadenamiento: "Corazón de colores", "Abril".
- Enumeración: "Barrilete/Cometa", "La manca", "Parejas disparejas".
- Cabo roto (escamotea el final del verso): "Norberto, el elefantito".
- Reiteración y juego de sonidos: "Locomotora", "Hoja de jade", "Canción de Carpanta", "Dame la mano", "Una nena". Aliteraciones: "Rondinela", "Tuba", "Oca loca".
- Acentuaciones: "Un cuéntico bóbico", "Carpanta", "En Tucumán vivía una tortuga".

En la antología, los poetas escriben en verso libre: "Hay flores", "Lección V", "Algarabía". Se ciñen a la brevedad del poema recreando la forma literaria del *haiku*: "En la oscuridad", "Cigarra". Jugando con el *caligrama*, la escritura dibuja con las letras el espacio del poema: "Un sapo", "Un pájaro", "Aquí el sol".

Las estrofas de coplas octasílabas, seguidillas, romancillos, de presencia constante en las formas poéticas hispánicas, se conjugan con estrofas procedentes de la literatura inglesa —el *limerick*[2]; poema breve humorístico—: "Un viejecito en Reikiavic", "Una nena", "En Tucumán vivía una Tortuga".

Las voces jóvenes de los novísimos se unen a los poetas ya clásicos en su modernidad: Juan Ramón Jiménez, García Lorca, Rafael Alberti, Gloria Fuertes —en España— y en Latinoamérica: Gabriela Mistral, Juana de Ibarbourou, Nicolás Guillén, Aquiles Nazoa, María Elena Walsh.

Cuarenta y tres autores contemporáneos de España e Iberoamérica, que imaginaron un mundo poético de la infancia, se citan en estas páginas. Sus voces seguirán trazando el mapa lírico del nuevo siglo.

---

[2] *Limerick*: forma breve del *non sense* en la tradición oral anglosajona, recreada por Edward Lear. Cinco versos, en rima combinada de los versos 1°, 2° y 5°, y el 4° con el 3°.

Letras

Federico García Lorca

CAPRICHOS

(Árbol)

Árbol,
la *ele* te da las hojas.

Luna,
la *u* te da el color.

Amor,
la *eme* te da los besos.

CHARO RUANO

LETRAS

A de amapola
B de balón
C de camino
y de corazón
de cereza roja
de cigüeña blanca
de cuento con C
atención ahora
que viene la CH

CH de chocolate
de chica y chillar
D de domingo
y de dibujar
E de espejo
también de embrujar
F de fácil
G de genial
de gato y gigante
de guante y de gol
de guitarra, guinda
también de guiñol.

H de hombre
I de imaginar
J de jueves
y de ja ja ja
Jinete es con jota
y Juan y jugar
no te equivoques con G de gigante
gimnasia y girar

K de kilómetro
de kilo y kefir
de kappa que es letra
en otro país

L de lunes
de labios de luz
LL de lluvia
M de mamut
de mamá me mima

N de nariz
de nata, natillas
de no no es así

Ñ de ñu
que es un animal
de ñandú de ñoño
y de poco más
O de ovillo
la mar de liado
de ojos ocultos
oscuro océano

P de pirata
con pata de palo
de pintura azul
atención ahora
que viene la Q

Q de quiosco
que también con K
de quien, de querer
un lío general
Y en medio del lío
de Qus y de Kas
me escapo a la erre
que me gusta más.

R de risa
ratón y regalo
S de sirena
de silencio y sábado
T de tambor
tomate, tamaño
tijera afilada
que viene cortando
el tiempo en trocitos:
tic… tac

U de uf…
qué susto me has dado
de uvas de uve
V de verano
de viernes, de viento
de volar viajando

X de xilófono
música y acabo
Y griega
y Z
de zas, zascandil
zambullir, zapato
Deprisa Amapola
que te van pisando.

Sidònio Muralha

CONFUSIÓN

Detrás de un monte de heno
un Burro
pequeño.

Pasan las ovejas,
sólo oyen un rebuzno
sólo ven una orejas.

"Unas orejas
sin burro
—dicen las ovejas—
más raro es que un burro
sin orejas."

Pero el rebuzno
del burro
hace temblar las orejas.
"Son las orejas
de un rebuzno
—piensan las ovejas—
del rebuzno
de un burro
que sólo tiene orejas."

PAPALOTE/COMETA

Alta flor de las nubes
—lo mejor del verano—
con su tallo de música
en mi mano sembrado.

Regalo de noviembre,
nuevo todos los años:
para adornar el día,
para jugar un rato.

Banderola de fiesta
que se escapa, volando...
Pandereta que agitan
remolinos lejanos.

Pececillo del aire
obstinado en el salto.
Pájaro que se enreda
en su cola de trapo.

Luna de mediodía
con cara de payaso.
Señor del equilibrio.
Bailarín del espacio.

Ala que inventa el niño
y se anuda a sus brazos.
Mensaje de lo celeste.
Corazón del verano.

LECCIÓN V

CANARIO

c-a-n-a-r-i-o

ca-na-rio

El canario tiene un río pequeñito
en la garganta.

Por las mañanitas, los canarios
se llaman membrillos.

Los canarios tienen zapatillas de cristal
y taconcito alto, como los de la Cenicienta.

Olga Xirinacs

CABALLITO DE MAR

Caballito de mar,
súbeme a tu lomo,
que quiero saltar.
Con agua y con sol
llévame a la casa
del caracol.
Caracol, bailarín,
rueda, rueda,
baila y juega.

Caracol que te pillo
tienes diez pinchos
en tu castillo.

Olga Xirinacs

A LA MEDIA NOCHE

A la media noche
me voy de aventura:
mi cama es la barca,
la sábana, vela,
y encima del mástil
un loro chillón
que se balancea.
Navego con sol,
la brisa me lleva,
soy mi capitán
y voy a la China.

En la CHina hay un delfín,
saltarín,
y en América del Sur
una foca parlanchina.
La foca se va detrás
de un gran banco de sardina.

DOÑA DOMINGUITA

Mi señora Dominguita,
hágame usted un favor,
présteme usted su agujita,
un poco de hilo, un botón...
y por si acaso un dedal
(¡ya me lo estaba olvidando!)
que la blusita que traigo
no luce bien de verdad.

Mi señora Dominguita,
ya se los vengo a entregar;
aquí tiene su agujita
y aquí tiene su dedal
y aquí tiene un botón
bien pegado a mi blusita.
Gracias mi buena señora
gracias, doña Dominguita...

NORBERTO, EL ELEFANTITO

Norberto, el Elefan-
tiene los ojos ne-,
pero la trompa blan-.

Sentado en su silli-,
toma sopas con hon-,
chicle y chocolati-.

Es un tipo muy ra-.
Cuando llueve se mo-
si no lleva para-.

Y cuando tiene sue-,
se queda dormidi-
en su cojín de se-.

Se lo trajo Marí-
una noche de ju-
que cenó con Pingüi-.

Y ahora es muy buen compa-
de don Diablito Ro-
y don Mapache Sa-.

EL ELEFANTE

El Elefante delante
de su manada camina.
Cuatro patas siseantes
y la trompa entretenida.

Las orejas se le mueven
y, por su paso mecidas,
le abanican, son su ritmo
ladeado, la barbilla.

Los colmillos, con sus curvas,
cortan el aire y la brisa.
Y, con su testuz de cuarzo,
abre en la selva autopistas.

Busca las charcas con agua
y, si no las ve, imagina
que se zambulle en un lago
que le sirve de piscina.

Todos los días se quita
el sudor de las costillas,
el polvo del rabo y patas
y el barro de las mejillas.

Come hojas de los árboles,
tiene memoria erudita,
sabe contar hasta ocho
y multiplica deprisa.

Conoce historias y cuentos,
habla inglés, ruso y escita.
Y escribe, con sus pezuñas,
un diccionario de citas.

El elefante —ya sabes—
estudia mientras camina
con las patas siseantes
y la trompa entretenida.

Juega al fútbol y a los bolos,
al tenis y a las canicas,
al baloncesto y al rugby
y es, además, alpinista.

No es una mole de carne
ni una masa maquinista:
es un animal muy noble.
Quiérelo: no te dé risa.

EN LA CAFETERÍA HAY FLORES...

En la cafetería hay Flores
de plástico que crecen y se enredan
y suben hasta el techo
y forman una selva
y atraviesan la barra
acomodándose en las mesas y
        trepando
sobre la caja registradora.
Crecen como jirafas y nunca devoran
a los clientes porque son artificiales.
El local se llama Café Tropical.

EDUARDO GONZÁLEZ LANUZA

LECCIÓN

Éste es un grillo.
Éste es un Gallo.

Éste es mi niño montado a caballo.
Ésta es la rosa.
Éste es el clavel.
Ésta es mi niña bordando un mantel.

Ésta es la luna.
Éste es el lucero,
éste es mi niño en el mar marinero.

Esta que canta es la pájara pinta,
ésta es mi niña que se ata una cinta.

Ésta es la espiga.
Éste es el manzano.
Éstos son mis niños que van de la mano.

LOCOMOTORA

Hierro, Hierro, Hierro
loco todo el tren
Hierro, Hierro, Hierro
galopa a través
Hierro, Hierro, Hierro
de tierras y cielo
Hierro, Hierro, Hierro.
Loco todo el tren
por tierras y cielos
huye sin cesar,
su sino es gritar
Hierro, Hierro, Hierro
Hierro, Hierro, Hierro.
Si quieres coger
nube o flor, yo tren
pararme no puedo
Hierro, Hierro, Hierro.

María Elena Walsh

UNA NENA

Había una nenita en Tacuarí
que solamente hablaba con la i.
¡Qué papelón, un día,
delante de su tía,
en lugar de "papá", dijo "pipí"!

José María Eguren

CANCIONELA

Ha venido Colibrí
en su barca de rubí.

De fragante curva quilla,
con bandera cabritilla.

Ha ceñido Colibrí
la campánula turquí.

Va en su barca piratera
con su linda prisionera.

La ha besado el Colibrí
en su boca lazulí.

Y navega blandamente
al castillo de la fuente;

donde zumba Colibrí
su rondana baladí.

DAVID CHERICIÁN

LA HOJA DE JADE

La hoja
de jade
no deja
del gajo
y la hoja
de jade
al dejar
el gajo
no deja
de jugar.

CHARO RUANO

JUEGOS

Debajo de la cama
hay un sitio estupendo
para esconderse
o invengar juegos.
Es un refugio
un campamento
es la reserva
de Toro Quieto
Toro Sentado
Toro Pequeño
familia de indios
y de tramperos
Es una casa
para pequeños
gnomos azules
duendes de viento
magos enanos
y Pulgarciertos
o Pulgarcitos
o Juan sin miedo
Bajo la cama
el Universo

SEIS PATITAS

Los viejitos por la calle
cada cual con su bastón
van tomados de la mano
seis patitas que hacen toc.
Los viejitos van al Kiosco
y piden al vendedor
un jazmín de buen perfume
que alcance para los dos.

LA LOBA

La loba, la loba
Le compró al lobito
Un calzón de seda
Y un gorro bonito.

La loba, la loba
Se fue de paseo
Con su traje rico
Y su hijito feo.

La loba, la loba
Vendrá por aquí.
Si esta niña mía
No quiere dormir.

CAPRICHOS

Los animales quieren
lo que no tienen:

El pavo real,
una voz de cristal.

El chimpancé,
que le digan usted.

El elefante,
ser galante.

El aura tiñosa,
que la encuentren hermosa.

Y la golondrina,
tener casa y vecina.

LA MANCA

Que Mi dedito lo cogió una almeja,
que la almeja se cayó en la arena,
y que la arena se la tragó el mar.
Y que del mar la pescó un ballenero
y el ballenero llegó a Gibraltar;
y que en Gibraltar cantan pescadores:
"Novedad de tierra sacamos del mar,
novedad de un dedito de niña.
¡La que esté manca lo venga a buscar!"

Que me den un barco para ir a traerlo,
y para el barco me den capitán,
para el capitán que me den soldada,
y que por soldada pido la ciudad:
Marsella con torres y plazas y barcos
de todo el mundo la mejor ciudad,
que no será hermosa con una niñita
a la que robó su dedito el mar,
y los balleneros en pregones cantan
y están esperando sobre Gibraltar...

CLAUDIA LARS

NACIMIENTO

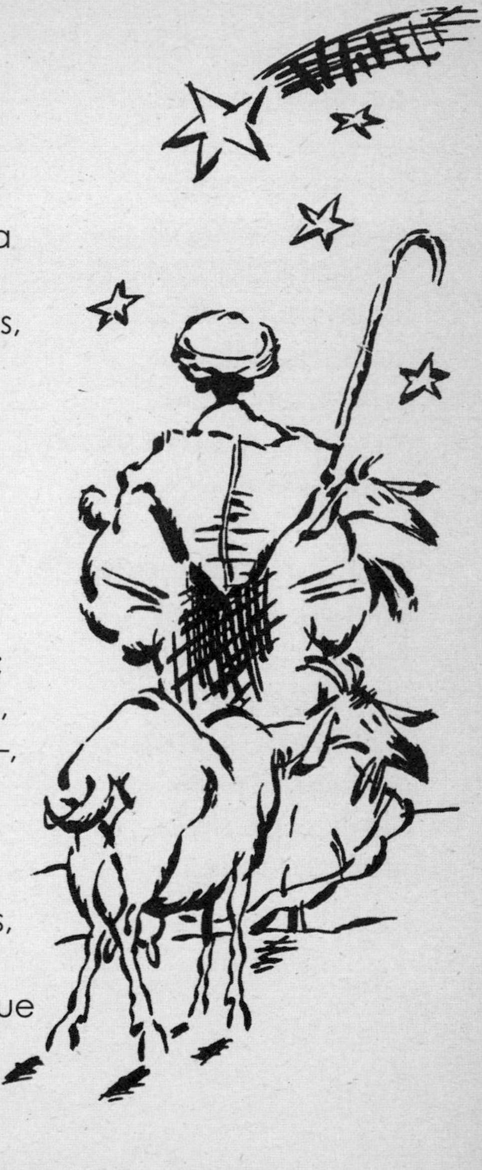

Lucero del alba:
farol de BeléN;
luna que se clava
sobre la pared;
nubes obedientes,
cielo de papel
y en el horizonte
ángeles de pie...

Olas sin espuma,
playa de oropel,
velas en liviana
cáscara de nuez;
peces de colores,
tortuga —carey—,
isla de pigmeos
que vio Gulliver.

Cerros y cañadas,
mínimo vergel,
y entre río y bosque
el viaje del tren;

al avión de alturas
lo alcanza el ciprés
y la mariposa
lo puede vencer.

Casas de cartón,
caminos de ayer,
soldados gigantes,
torres de ajedrez;
carretas viajeras,
cascos en tropel,
mundo que en la mano
se puede coger.

Gruta en la que duermen
la mula y el buey;
velo de la Virgen,
nardo de José;
candoroso juego,
noche sin revés,
cántico de siglos
en hora de fe.

MIRTA AGUIRRE

CIZAÑA

Amiga cigüeÑa
se puso a la greña
con amiga araña:
que si pedigüeña,
que si mala entraña,
que si una castaña,
que si un haz de leña,
que si por trigueña,
que si por extraña,
que si aquella seña,
que si una patraña,
que si tan tacaña,
que si tan pequeña,
¡que si una alimaña!...

Amiga cigüeña
con amiga araña.

LAS ORUGUITAS DE LA TARDE

Las Oruguitas de la tarde gris
se escurren por la galería
y llegan hasta el sillón
donde yo sueño dormida
con las oruguitas de la tarde gris
que se escurren por la galería...

Aramís Quintero

CAMBIOS

Hay entre las nubes
un Oso polar.

Alza la cabeza
para aullar.

Cuando la tarde avance,
irá alargando el cuello,
irá hundiendo el hocico,
triste y serio.

Y ya no será un oso: irá siendo
un cocodrilo de oro,
una vieja mano con tres dedos,
un mapa con extrañas penínsulas
y playas.

David Cherician

RONDA DE LAS DISPAREJAS

Parejas, parejas
que no son parejas.

El como y la coma,
el cuento y la cuenta,
el trompo y la trompa,
el suelo y la suela,
el palo y la pala,
el cepo y la cepa,
el rato y la rata,
el peso y la pesa,
el ojo y la hoja,
el ceño y la seña,
el bote y la bota,
el penco y la penca,
el limo y la lima,
el velo y la vela,
el libro y la libra,
el puerto y la puerta,
el paso y la pasa,
el cuerdo y la cuerda,
el caso y la casa,
el cerdo y la cerda,

el bate y la bata,
el cero y la cera,
el plato y la plata,
el pero y la pera—

¡Parejas, parejas
que no son parejas!

EDUARDO GONZÁLEZ LANUZA

EL PIMPIRINGALLO

Pimpiringallo, la flor amarilla,
Pimpiringallo, la niña en su silla,
Pimpiringallo, la flor colorada,

Pimpiringallo, la niña sentada,
Pimpirimpimpirimpimpiringallo.
Pimpiringallo, la niña a caballo.

GLORIA SÁNCHEZ

AQUÍ EL SOL

AQuí el sol

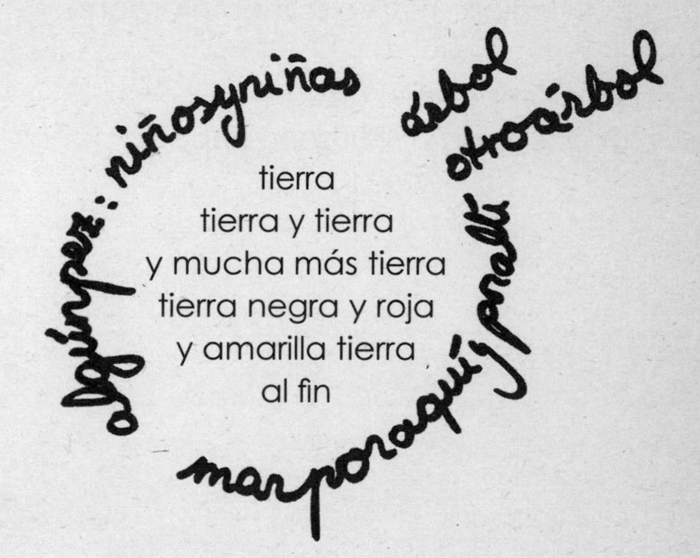

Así el mundo
que yo quiero.

FÁBULAS FRESQUITAS

Al caerse en un hueco en una esQuina,
se rompió la cabeza Juan Marquina;
y por darle la mano,
le sucedió lo mismo a Juan Marcano.

Para romperse el coco
ser Marquina o Marcano importa poco.

RAPA TONPO CIPI TOPO

(Canción en jerigonza)

Sipi sepe duerpe mepe
Gapa topo Lopo copo,
Rapa tonpo cipi topo
quepe sopo ropo epe.

Pepe ropo tanpa topo
quepe sopo ropo epe
quepe sepe duerpe mepe
Rapa tonpo cipi topo.

¡Opo japa lápa quepe
Gapa topo Lopo copo
duerpe mapa máspa quepe
Rapa tonpo cipi topo!

José Sebastián Tallón

EL SAPITO GLO GLO GLO

Nadie Sabe dónde vive.
Nadie en la casa lo vio.
Pero todos escuchamos
al sapito: glo... glo... glo...

¿Vivirá en la chimenea?
¿Dónde diablos se escondió?
¿Dónde canta, cuando llueve,
el sapito Glo Glo Glo?

¿Vive acaso en la azotea?
¿Se ha metido en un rincón?
¿Está abajo de la cama?
¿Vive oculto en una flor?

Nadie sabe dónde vive.
Nadie en la casa lo vio.
Pero todos lo escuchamos
cuando llueve: glo... glo... glo...

SOPA DE LETRAS

Mi cabeza la sopera
de la Sopa de letras

Lleno el cucharón
LL, Q, I, N, V
M, S, T, O, P
D, E, F, L,
A, B, C

Sale una canción
FA, MI, SOL
FA, MI, SOL
SOL, FA, MI, RE, DO

Mágico conjuro
SARBALAP
SARBALAP
NE
DRATEBIL

Un cuento al revés
TA CI RU PE CA
TA CI RU PE CA
¿VAS DEDON
TONIPRATEM TAN?

Revoltijo de letras
Canción
Conjuro
Cuento
Mi cabeza la sopera
¿Quién maneja el cucharón
de mi sopa de letras?

ANTONIO MACHADO

DESDE SEVILLA

Desde Sevilla a Sanlúcar,
desde Sanlúcar al mar,
en una barca de plata
con los remos de coral,
donde vayas, marinero,
contigo me has de llevar.

LA TATARATORTUGA

La Tataratortuga,
lenta,
visita sus tataranietos
La tataratortuga
tan tranquila, tan tronca, tan torpilenta...
viene y va por la ladera

La tataratortuga
lenta,
tan tarda, tan tronquiparda.
Tiene raíces y ramas
tiene gafas
tiene muchos corazones

La tataratortuga,
al llegar la primavera
(hace ya cien primaveras)
planta siempre una mimbrera
—puñadito de ilusión—
con la más pequeñita
de sus tataranietas
Y se marchan tan tranquilas,
tan tardas, tan torpilentas.

RETAHÍLA PARA PINTAR

Tengo 7 años,
2 trenzas
y 3 hermanos.

Tengo 3 años
7 trenzas
y 2 hermanos.

Tengo 2 años
3 trenzas
y 7 hermanos.

Bien me puedo equivocar:
dos veces digo mentira
y una vez digo verdad,
pero bien mirado
ni yo misma sé
cuándo he acertado,
aunque alguna vez será
que lo que ahora es mentira
otra vez será verdad,
y lo que ahora verdad es
mentira será otra vez.

EN TUCUMÁN VIVÍA UNA TORTUGA

En Tucumán vivía una Tortuga
viejísima, pero sin una arruga,
porque en toda ocasión
tuvo la precaución
de comer bien planchada la lechuga.

Carlos Murciano

EL UNICORNIO

No está. Pero es hermoso.
Nunca fue. Pero existe.
Pasa como una sombra.
Como una lumbre vive.

Galopa por mis ojos
y no lo veo, ríe
cuando llora, relincha
dulcísimo y terrible.

Blanco. Luna en la nieve.
Gota de armiño. Cisne.
Cal en la cal. Relámpagos
sus patas y sus crines.

Rinocorcel esclavo.
Caballeronte libre.
Unicornio: fantasma
posible e imposible.

Miquel Desclot

UN VIEJECITO EN REIKIAVIK

Érase un Viejecito en Reikiavik
que dijo: —¡TIKATIK Y TIKATIK!
¡CHIKAVÍ Y CHIKAVÓ!
Y fue y enmudeció,
el lacónico viejo en Reikiavik.

Gloria Sánchez

TIENE UN TREMENDO SOPLIDO

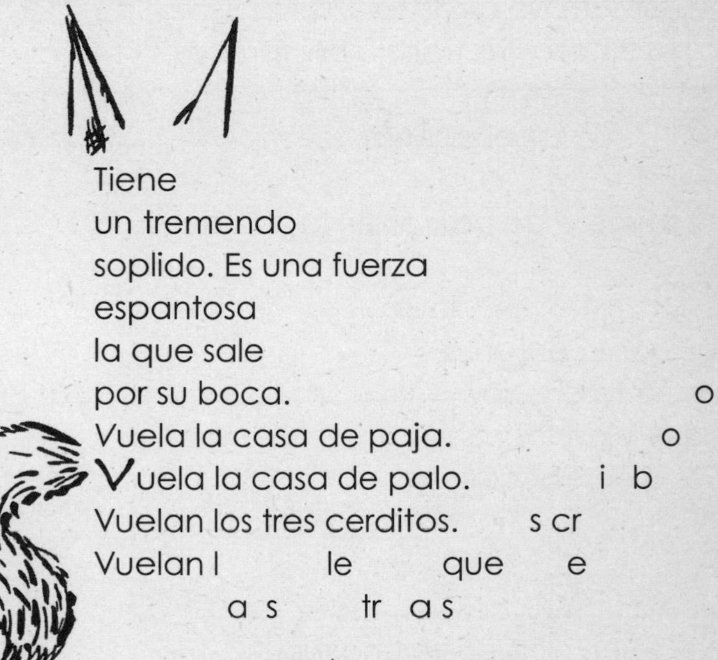

Tiene
un tremendo
soplido. Es una fuerza
espantosa
la que sale o
por su boca. o o
Vuela la casa de paja. o
Vuela la casa de palo. i b
Vuelan los tres cerditos. s cr
Vuelan l le que e
a s tr a s

EL CLOWN

Arremete de cabeza
a la tristeza del pellejo del tambor,

el cloWn.

y se mete de patitas en la tina del sifón,

el clown.
¡Cuánta espuma,
cuánta gracia,
qué bien toca,
qué acrobacia!,

el clown.

—De un niño coge una risa
y la convierte en paloma
y así otra y otra y otra—,

el clown.

Y vestido de Quijote
se hace un nudo en el cogote,

el clown,

y usando de Rocinante a su escudero
sale en cueros;

—¡Qué despiste!—

A lo serio, a lo formal, cómo embiste,
—¡Lágrima en ristre!—

el clown.

Carlos Murciano

EL CABALLO BAYO

Las crines al aire,
detrás de la valla,
el caballo baYo
relincha y se enfada.

Quiere ir a los prados,
galopar sin trabas,
cruzar el arroyo,
beber en la charca.

Quiere ser tan libre
como son las águilas
que vuelan sin prisa
sobre las montañas;

libre como el viento,
libre como el agua
y como las nubes
que pasan y pasan.

El caballo bayo
se saltó la valla
y pace los tréboles
de la madrugada.

LAURA DEVETACH

ZUMBONAS

Gritan en amarillo
estas flores
radares
chupasoles
convertidas en bandejas
se sirven a las abejas
que zumban
retumban
ZZZumban
la Zeta de ZuZ canZioneZ.

Antonio Machado

LA PLAZA TIENE UNA TORRE

La plaZa tiene una torre,
la torre tiene un balcón,
el balcón tiene una dama,
la dama una blanca flor.
Ha pasado un caballero
—¡quién sabe por qué pasó!—
y se ha llevado la plaza,
con su torre y su balcón,
con su balcón y su dama,
su dama y su blanca flor.

Poemas escénicos

RAFAEL ALBERTI

BAILECITO DE BODAS

(*A Deódoro Roca*)

Por el Totoral,
bailan las totoras
del ceromonial.

Al tuturuleo
que las totorea,
baila el benteveo
con su bentevea.

¿Quién vio el picofeo
tan pavo real,
entre las totoras,
por el Totoral?

Clavel ni alhelí,
nunca al rondaflor
vieron tan señor
como al benteví.
Cola color sí,
color no, al ojal,
entre las totoras,
por el Totoral.

Benteveo, bien,
al tuturulú,
chicoleas tú
con tu ten con ten.
¿Quién picará a quién,
al punto final,
entre las totoras,
por el Totoral?

Por el Totoral,
bailan las totoras
del matrimonial.

David Cirici

COSTUMBRES DE LOS VOLICHES

Esto que ves dibujado
no son flores en un prado:
son voliches en verano.

Los dedos de pies y manos
se les vuelven elegantes
como abanicos gigantes.

Y las manchas coloradas
son orejas separadas.

Las dejan bien despegadas
que vuelen aparejadas.

Dos orejas color rosa
son como una mariposa.

DAVID CIRICI

LOS CAPICUÁS

Son los capicúas unos animales
que tienen las manos y los pies iguales.

Puedes observarlos un día o un mes:
¿están del derecho o están del revés?

Preparan sus manos pasteles y tartas
mientras con los pies juegan a las cartas.

Por narices lucen raros instrumentos
que suenan alegres cuando están contentos.

Si los ves moverse, no sabrás jamás
si se están pegando o bailan el vals.

Y cuando se sientan en silla o sillón
sus miembros se enredan en gran confusión.

Ningún capicúa sabe con certeza
dónde está su cola y dónde su cabeza.

Ángel Guache

LA CANCIÓN DE CARPANTA

Me llamo Carpanta,
me tragaré este pollo.
Por mi gran garganta
bajará un centollo.

Engulliré un bocadillo
de jamón serrano,
y si te la pillo
me tragaré tu mano.

Me tragaré una vaca,
me tragaré un cordero,
tumbado en la hamaca
morderé al camarero.

Me tragaré el plato,
me comeré la cesta.
Romperé el trato
y comeré la puerta.

Me comeré a mi hermano,
me comeré a mi prima,
me tragaré al marrano
que vive encima.

Me comeré al profesor
que me puso un cero
y subiendo en ascensor
morderé a tu perro.

Me engulliré una lata,
me comeré un ratón,
me comeré una tapa,
me tragaré un camión.

Me zamparé tu jeta,
devoraré un lechón,
será mi mayor meta
comerme tu melón.

Me comeré la mesa,
me comeré el sofá,
me tragaré una pesa,
me comeré a mamá.

CUÉNTICO BÓBICO PARA UNA NÉNICA ABURRÍDICA

Una mañánica
de primavérica
hallé una láuchica
en la verédica.

Era muy rárica:
con dos mil rúlicos
sobre la cárica,
según calcúlico.

En su cartérica
guardaba heládico
de rica crémica
y chocolático.

Jugó a la abuélica,
también al ránguico,
pisa pisuélica
y bailó un tánguico.

Y muy ligérico
se fue en un cárrico

con su cochérico
y sus cabállicos.

No, no es mentírica
—cara de tórtica—
¿No crees nádica?
¡Pues no me impórtica!

María de la Luz Uribe

EL PASEO DE DOÑA URRACA

Una mañana encendida
de aire transparente y sol
miró afuera Doña Urraca
y de su casa salió.

Como iba a dar un paseo,
y por si hacía calor,
decidió llevar sombrilla
y de su casa salió.

También podía hacer frío:
gorro y bufanda tomó,
se los puso con gran prisa
y de su casa salió.

Y si llovía, ¿qué haría?
Podía esconderse el sol.
Llevó además el paraguas
y de su casa salió.

Quería estar elegante
por si encontraba a un señor:
se puso tacones altos
y de su casa salió.

Por parecer gran señora
se puso sombrero alón,
una falda de volantes,
y de su casa salió.

Pero faltaba un collar
y de prisa lo buscó,
se lo enredó por el cuello
y de su casa salió.

Le faltaban los pendientes,
ésos de rojo color,
los enganchó entre las plumas
y de su casa salió.

Cuando iba a emprender el vuelo
otra urraca allí pasó.
Ella le dijo: "Buen día".
Y de su casa salió.

Pero la otra, asombrada,
al verla así, se rió.
Y Doña Urraca, muy digna,
a su casa se volvió.

Dejó sombrilla, paraguas,
gorro y bufanda dejó,
y se sacó los zapatos,
se quitó el sombrero alón,

y la falda de volantes,
y el collar, que se enredó,
por último los pendientes.
Todo, todo se quitó.

Y esa mañana encendida
de aire transparente y sol
Doña Urraca, enfurecida,
de su casa no salió.

LA OCA LOCA

Doña Oca toca la ocarina,
y prefiere el lago a la piscina.

Éste es su marido el Oco,
—que no está cuerdo tampoco—.

Doña Oca Plamapoca,
en el hueco de una roca,
la ocarina toca y toca.
—Esto no hay quien lo soporte,
—Dijo el Oco —su consorte—,
—Esto no hay quien lo soporte.
¡Al agua patos! (¡Qué corte!)
—Esta Oca es la oca,
—y nado porque me toca—
—dijo el Oco—.

(Nadando se quedó yerto
por no escuchar el concierto).

Y la Oca enloquecida
puso huevos sin medida.

—¡Veinte patos! ¡Qué patada!
Y yo sola, abandonada.
—dijo la Oca—.

La familia numerosa,
era insoportable cosa.

Le piaban veinte patos
y pasaba malos ratos.

¡Tanto pico, tanta boca!
La Oca se volvió loca.

MARI LUZ Y MARI PAZ

Una zagala solloza
mirando al fondo de un pozo
cuando aparece otra moza
diciendo con alborozo:

—¡Date priza Mari Paz!
ya eztá lizta la carroza
noz vamoz con loz papaz
a compraz a Zaragoza.

De Mari Paz la tristeza
Mari Luz se ha apercibido.

—¿Qué ez lo que te ha acontecido?
—pregunta con extrañeza.

—Hazme zaber la razón
de tan acerba zozobra.

La doncella rezongando
le responde con presteza:
—Tengo razones de zobra,

mi dezdicha ez tan atroz...
tan cin par, tan ezpantoza...

—¿Ce te ha pegado el arroz?

—Máz grande ez aún la coza.

—¿Te atacó el zorro feroz,
eza acecina rapoza?

—Muchícimo peor que ezo.

—¿Ce te ha caído en el pozo
tu bocadillo de quezo?
¿Haz perdido el albornoz?
Dame rezpuezta veraz
o te retuerzo el pezcuezo.

Con un hilillo de voz
se lamenta Mari Paz:
—¡Ay, Mari Luz, Mari Luz!
¡Qué azunto tan azquerozo!
Lo que he perdido ez el cezo
puez me robó el corazón
un ceñorito andaluz
eztremadamente hermozo.

Dice la hermana:
—¡Qué cruz!
¡Qué incenzata cin razón!
no te faltaba maz que ezo
zo grandícima aveztruz.

RUIDOSO TANGO DE ULTRATUMBA

Bailaban dos esqueletos
un tango, muy apretados,
entrechocando, contentos,
sus huesos enamorados.

Con bastante sentimiento
se dieron un par de besos,
antes de quedarse tiesos.
Y de nuevo en movimiento.

Qué ruido hacían sus huesos,
bailando sobre el cemento,
blancos como frescos quesos.
Qué ruido en aquel intento.

Y parándose un momento,
se decían fruslerías;
recordaban otros días,
el sol, la lluvia y el viento.

Descansaban un momento,
se estiraban muy ufanos
como cuando eran humanos.
Y de nuevo en movimiento.

Bailaban dos esqueletos
un tango, muy apretados,
entrechocando, contentos,
sus huesos enamorados...

Nicolás Guillén

UN SON PARA NIÑOS ANTILLANOS

Por el Mar de las Antillas
anda un barco de papel:
anda y anda el barco barco,
sin timonel.

De La Habana a Portobelo,
de Jamaica a Trinidad,
anda y anda el barco barco,
sin capitán.

Una negra va en la popa,
va en la proa un español:
anda y anda el barco barco,
con ellos dos.

Pasan islas, islas, islas,
muchas islas, siempre más;
anda y anda el barco barco,
sin descansar.

Un cañón de chocolate
contra el barco disparó
y un cañón de azúcar, zúcar,
le contestó.

¡Ay, mi barco marinero,
con su casco de papel!
¡Ay, mi barco negro y blanco
sin timonel!

Allá va la negra negra
junto junto al español;
anda y anda el barco barco
con ellos dos.

Juan Ramón Jiménez

CORAZÓN DE COLORES

(La historia de Teresa...
Las niñas)

La historia de mi vida
os la quiero contar.
Mi vida fue de oro
(corazón, corazón de colores)
mi vida fue de oro
como un palacio real.

La historia de mi vida
os la quiero contar.
Mi vida fue de sangre
(corazón, corazón de colores)
mi vida fue de sangre
como un amapolal.

La historia de mi vida
os la quiero contar.
Mi vida fue de plata
(corazón, corazón de colores)
mi vida fue de plata
como un cristal raudal.

JUAN RAMÓN JIMÉNEZ

ABRIL

(El día y Robert Browning)

El chamariz en el chopo.
¿Y qué más?
El chopo en el cielo azul.
¿Y qué más?
El cielo azul en el agua.
¿Y qué más?
El agua en la hojita nueva.
¿Y qué más?
La hojita nueva en la rosa.
¿Y qué más?
La rosa en mi corazón.
¿Y qué más?
¡Mi corazón en el tuyo!

EDUARDO CARRANZA

DON PARAMPLÍN

Don Paramplín, Don Paramplín,
el niño no quiere dormir.

Don Paramplín cae del cielo
igual que el sueño en el desvelo.

Y su sombrero, un ababol*,
saluda vago, en rededor.

Con ademanes de humo lento
Don Paramplín empieza un cuento.

Llega el arroyo con su violín
y, con sus alas, el serafín.

Llega la abeja con su pareja
que es la cigarra del arpa vieja.

Andando con paso divino
llega la música de pie fino.

---

* ababol: amapola.

Y en puntillas, una floresta,
la de la Bella Durmiente, llega.

Por sobre el musgo rueda que rueda,
pasa y se queda un tren de seda.

Las flores dejan silla de aroma
y, enlazadas, bailan en ronda.

Y por el claro talle cogidas
bailan también estrellas niñas.

Don Paramplín hace una seña,
(el aire ríe, el viento sueña).

Todo se torna en humo azul,
(en la penumbra canta el bulbul).

En un caballo
colorín
el sueño viene
del sinfín.

Ya descabalga
en esa puerta
de tu alma, niño,
al cielo abierta.

Hace una venia don Paramplín
y se deslíe por el aire
del jardín.

DAME LA MANO

Dame la mano y danzaremos;
dame la mano y me amarás.
Como una sola flor seremos,
como una flor, y nada más...

El mismo verso cantaremos,
al mismo paso bailarás.
Como una espiga ondularemos,
como una espiga, y nada más.

Te llamas Rosa y yo Esperanza;
pero tu nombre olvidarás,
porque seremos una danza
en la colina, y nada más...

LOS QUE NO DANZAN

Una niña que es inválida
dijo: "¿Cómo danzo yo?"
Le dijimos que pusiera
a danzar su corazón...

Luego dijo la quebrada:
"¿Cómo cantaría yo?"
Le dijimos que pusiera
a cantar su corazón...

Dijo el pobre cardo muerto:
"¿Cómo danzaría yo?"
Le dijimos: "Pon al viento
a volar tu corazón..."

Dijo Dios desde la altura:
"¿Cómo bajo del azul?"
Le dijimos que bajara
a danzarnos en la luz.

Todo el valle está danzando
en un corro bajo el sol.
A quien falte se le vuelve
de ceniza el corazón...

RECETA PARA DANZAR EN MEDIO DEL CIELO

Mira al cielo
busca las tres marías
pasea entre las estrellas
y con las palmas de las manos
hacia arriba
danza la danza del universo
música de inmensidad
y de misterio.

ROSEANA MURRAY

LAS CONCHAS

Las conchas escuchan música:
El mar va girando sus violines,
a veces violiones y guitarras,
y hasta flautas y campanas.
Las conchas escuchan,
y después,
en nuestros oídos
cantan bajito.

Gemidos

Afilado es el tejado
de mi casa:
llora el viento
cuando pasa.

Cigarra

¡Cómo canta la cigarra
en la noche estrellada!
¿o serán gigantes que arrastran
cadenas entrelazadas?

En la oscuridad

Doy un paso;
alguien da otro:
no estoy solo.

Ana María Romero Yebra

SIESTA

Solo el silencio
dentro del patio.
Quema la tarde.

Callan los pájaros.
Un gato negro
y un gato blanco
bajo la acacia
duermen tumbados.

Y el sol que juega
cerca del árbol
borda la sombra
de los dos gatos.

OTOÑO

Las hojas de los chopos se murmuran
secretos al oído
y el tronco les advierte cada tarde
que va a llegar el frío.

Las hojas de los chopos se columpian
cuando las mueve el viento
y las noches de otoño van pintando
de amarillo su cuerpo.

Las hojas de los chopos se desprenden
del calor de la rama
y ponen en el verde de la hierba
una alfombra dorada.

José Juan Tablada

UN PÁJARO

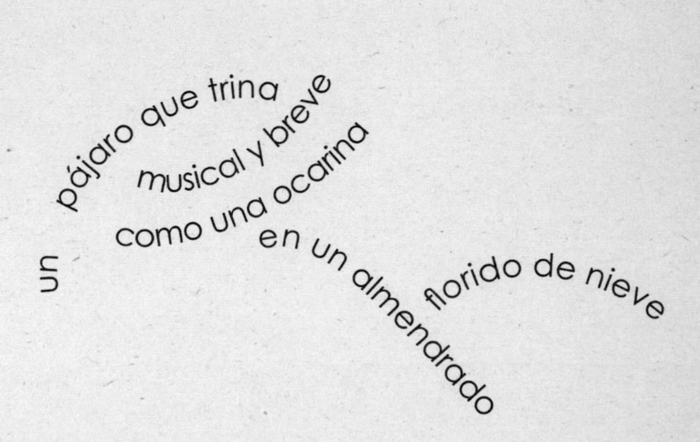

JOSÉ JUAN TABLADA

UN SAPO

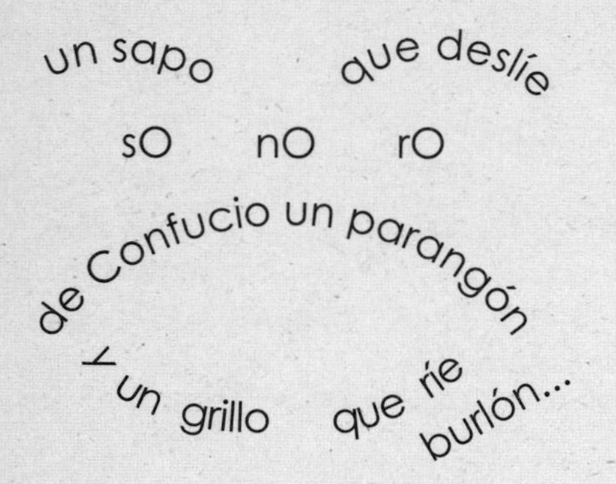

ALGARABÍAS

Algarabías,
desde la ventana de la habitación.
Alborotos,
en las calles.
Barullos,
en el patio de la escuela.
Bullicios ligeros de fiesta
y tiovivo.
Estruendos espesos como tormentas
de verano.
Son todos los ruidos de la ciudad
llenándome los sentidos.

Jaime Ferrán

LA PANDERETA

La pandereta
con sus sonajas
suena y resuena
más y más rápida
y se nos lleva
tras ella
                    cada
vez que se eleva
y arde agitada
la pandereta
con sus sonajas.

Jaime Ferrán

LAS TEJOLETAS

Ásperas,
                    secas,
marcan el ritmo
las tejoletas
y donde se hallan
todo se llena
hasta que sólo
se escuchan ellas
¡Las tejoletas!

ARPA ROMÁNTICA

Yo soy una princesa
de cabellera de oro
que temió la fiereza
de un dragón sin decoro.

Y así hice promesa
que si alguien me salvaba,
aunque pigmeo fuese,
con él yo me casaba.

¡Ah, maldita torpeza!
Me salvó este tambor
sin sombra de nobleza
que me atrona: ¡qué horror!

Miquel Desclot

TUBA ROQUERA

Me casé con el tubo tubo tubo
de la pasta de dientes.

Soy la tuba que tuvo tuvo tuvo
doscientos pretendientes.

Hago rock por un tubo tubo tubo
con mis fans más ardientes.

Soy la chica del tubo tubo tubo
de la pasta de dientes.

Antonio García Teijeiro

LA TROMPETA

trom
La trompeta
petea

pia
El piano
nea

Violines escondidos
violinan
violi
nean
¿Y el oboe?
o
b
o
e
a

Pianea la trompeta.
El piano violinea.
Los violines escondidos
trompetean oboean.

Es la orquesta
de mis sueños
la que ea
orquestea.

La trompeta oboea.
El piano trompetea.
Los violines pianean.
El oboe violinea.

¡Oh, que lío!

Ya no entiendo
a esta orquesta
que orquestea.

Jairo Aníbal Niño

LECCIÓN DE MÚSICA

Do,
re,
mi,
fa,
sol,
la,
si.
¿Sí?
Sí,
mi
sol;
sí.

HAY ALGO EN EL CIELO

Hay algo en el cielo:
una estrella fugaz que desciende
como si a un astronauta
se le hubiera caído una moneda brillante
del bolsillo de su bluyín espacial.
Hay algo en el cielo;
es una señal sonora,
una gallada de campanas,
una música en tropel,
una melodía eléctrica,
un viento cantante;
es el repiquetear del teléfono
y, por fin,
tu voz.

POEMA DEL AMOR SILBADO

Sé que él me silba a mí sola
Y su silbo suavecito
se suelta sobre el silencio,
a los saltitos.

Es una cinta de seda
el silbido que desgrana,
subiendo los escalones
de la semana.

Es una cinta de seda
que se ciñe a mi cintura.
Es caricia de sonidos
y de dulzura.

No me dice nada: silba.
El suyo es amor silbado.
(Por su silbo sale al sol
su corazón desatado.)

JARDINES BAJO LA LLUVIA
(Variaciones sobre un tema
de Debussy)

I Llueve

Luz de arriba, remozada,
y abajo llueve que llueve,
cruje su sandalia breve
contra la arena mojada;
pasitos tiene la nada
y levedad de escarpín:
la lluvia es un querubín,
cuya mano delicada,
agua lleva iluminada
para la sed del jazmín.

II Cuando la gota es una...

Cuando la gota es una,
es una lágrima la luna.

Cuando son dos,
son los ojitos del niño Dios.

Y cuando las gotas son tres,
entre sus campanitas claras hay un pez.

DANZA EN EL HUERTO DE LA PETENERA

En la noche del huerto,
seis gitanas,
vestidas de blanco
bailan.

En la noche del huerto,
coronadas,
con rosas de papel
y biznagas.

En la noche del huerto,
sus dientes de nácar,
escriben la sombra
quemada.

Y en la noche del huerto,
sus sombras se alargan,
y llegan hasta el cielo
moradas.

[CANCIÓN]
GRANADA Y 1850

Desde mi cuarto
oigo el surtidor.

Un dedo de la parra
y un rayo de sol,
señalan hacia el sitio
de mi corazón.

Por el aire de Agosto
se van las nubes. Yo,
sueño que no sueño
dentro del surtidor.

Bibliografía

AGUIRRE, MIRTA. *Juegos y otros poemas*. La Habana. Gente Nueva. 1974

ALBERTI, RAFAEL. *Rafael Alberti para niños*. Prólogo y edición de Ma. Asunción Mateo. Editorial De la Torre. Madrid. 1985. 2ª edición.

ALONSO, FRAN. *Ciudades*. Madrid. Espasa Calpe. 1998.

BORNEMANN, ELSA. *Corazonadas*. Editorial Alfaguara. Buenos Aires. 1998.

—*Disparatario*. Buenos Aires. Orión.

CERNUDA, LUIS. "Locomotora" en [AA.VV.]. *Siete canciones infantiles*. Madrid. Ministerio de Educación-Altavoz. 1937.

CIRICI, DAVID. *Libro de Voliches y Laquidamios y otras especies*. Barcelona. Destino. 1986.

CHERICIÁN, DAVID. *Trabalenguas*. La Habana. Gente Nueva. 1993.

—*Rueda la ronda*. La Habana. Gente Nueva. 1984.

Desclot, Miquel. *Música, Mestre!* Barcelona. La poma verda. Empuries. 1987.

—*Oi, Eloi?* Barcelona. La Galera. 1995.

Devetach, Laura. *Canción y pico*. Buenos Aires. Editorial Sudamericana. 1998.

Escudero, Isabel. *Cántame, cuéntame: Cancionero didáctico*. Música de Lola de Lea Rapp. Madrid. UNED. Editorial De la Torre. 1997.

Ferrán, Jaime. *Cuaderno de Música*. Madrid. Miñón-Susaeta. 1983.

Fuertes, Gloria. *Don Pato y Don Pito*. Madrid. Escuela Española. 1971.

—*La Oca loca*. Madrid. Escuela Española. 1998. 12ª edición.

—*Diccionario Estrafalario*. Madrid. Susaeta. 1997.

García Lorca, Federico. *García Lorca para niños*. Ed. E. Martín. Madrid. De la Torre. 1986.

García Teijeiro, Antonio. *Versos de agua*. Madrid. Edelvives. 1989.

—*Volando por las palabras*. Madrid. Edelvives. 1992.

González Lanuza, Eduardo. *El Pimpiringallo y otros pajaritos*. Buenos Aires. Librería Huemul. 1980.

Guache, Ángel. *Piano, Piano*. Madrid. Editorial Hiperión-Ajonjolí. 1995.

Guillén, Nicolás. *Isla de rojo coral*. Prólogo de A. Pelegrín. Salamanca. Editorial Loguez. 1996.

IGUERABIDE, JUAN CRUZ. *Poemas para la pupila*. Madrid. Hiperión-Ajonjolí. 1998.

JIMÉNEZ, JUAN RAMÓN. *Canta pájaro lejano*. Antología. Prólogo de A. Pelegrín. Madrid. Espasa Calpe. 1980.

—*Poesía en prosa y verso escogida para niños* por Zenobria Camprubí Aymar. Madrid. Signo. 1932.

LARS, CLAUDIA. *Escuela de pájaros*. El Salvador. R.H.D. Editorial. 1987. 2ª edición.

—*La casa de vidrio*. Santiago de Chile. Zigzag. 1943.

MISTRAL, GABRIELA. *Ronda de Astros*. Madrid. Editorial Espasa Calpe. 1995.

MURCIANO, CARLOS. *El aire azul que vino de las islas del sueño*. Madrid. Hiperión-Ajonjolí. 1996.

—*La bufanda amarilla*. Madrid. Escuela Española. 1985.

—*La niña calendulera*. Madrid. SM. 1989.

MURALHA, SIDÒNIO. *A Televisão da bicherada*. Ilust. Claudia Scatamachia. Sao Paulo. Global Editora. 1997. 9ª edición.

—*A danza dos Pica-Paus*. Sao Paulo. Global Ediciones. 1997.

MURRAY, ROSEANA. *Receitas de Olhar*. Sao Paulo. Editora FTD. 1997.

—*O mar e os sonhos*. Bels Horizontes. Editorial Miguelim. 1996.

NAZOA, AQUILES. *Aniversario del color*. Caracas. Editorial Summa. 1943.

—*Método práctico para aprender a leer en VII lecciones musicales con acompañamiento de gotas de agua*. Caracas. Tipográfica Garrido. 1943.

—*Retablillo de Navidad*. Caracas. Ekaré. 1995.

NIÑO, JAIRO ANÍBAL. *La alegria de querer*. Editorial Panamericana. 1990.

QUINTERO, ARAMÍS. *Maíz Regado*. La Habana. Gente Nueva. 1980.

—*Letras mágicas*. La Habana. Gente Nueva. 1991.

ROMERO YEBRA, Ana María. *Hormiguita negra*. Madrid. Edelvives. Ala Delta. 1996.

RUANO, CHARO. *Catalina lina luna*. Salamanca. Amarú Editores. 1993.

—*Elefantáfrica* (inédito).

SÁNCHEZ, GLORIA. *A raiña de Turnedó*. Vigo. Xerais Galicia. 1996.

—*Rimas con Letras*. Vigo. Xerais Galicia. 1991.

—*Peces de plata y una canción verde* (inédito, 1999).

SANTONJA, CARMEN. *Mermelada de anchoas*. Madrid. Austral Juvenil. Espasa Calpe, 1989.

SILES, JAIME. *El Gliptodonte*. Austral Juvenil. Espasa Calpe. 1990.

TALLÓN, JOSÉ SEBASTIÁN. *Las Torres de Nüremberg*. Buenos Aires. Editorial Colihue. 1991.

TORTOSA, AYES. *Versos y canciones para Nana*. Prólogo de Luis García Montero. Granada. Editorial Tagahi. 1993.

—*Ciudad de tinta y papel*. Málaga. CEDMA-Colección Caracol. 1999.

URIBE, MARÍA DE LA LUZ. *Cuento que te cuento*. Barcelona. Juventud. 1979.

—*Los príncipes de piedra y otros cuentos*. Madrid. SM. Catamarán. 1991.

WALSH, MA. ELENA. *El reino del revés*. Buenos Aires. Espasa Calpe. Argentina. 1996.

—*Zoo Loco*. Buenos Aires. Espasa Calpe. Argentina. 1995.

XIRINACS, OLGA. *Marina y Caballito de mar*. Madrid. Anaya. 1998.

TALLER DE POESÍA

BESORA, RAMÓN. *Poesía i escola*. Barcelona. Barcanova. 1999.

GARCÍA MONTERO, LUIS. *Lecciones de poesía para niños inquietos*. Granada. Editorial Comares. 1999.

JEAN, G. *La poesía en la escuela. Hacia una escuela de la poesía*. Madrid. Editorial De la Torre. 1996.

MORENO, VÍCTOR. *Va de poesía. Propuesta para despertar el deseo de leer y escribir poesía*. Pamplona. Pamiela. 1998.

RODRÍGUEZ, ANTONIO ORLANDO; ANDICRAÍN, S. *Escuela y poesía ¿y qué hago con el poema?* Colombia. Cooperativa Editorial Magisterio. 1997.

Índice de autores

Índice

POEMAS ESCÉNICOS

Este libro se terminó de imprimir en febrero de 2007
en Mhegacrox, Sur 113-9, núm. 2149, col. Juventino
Rosas, 08700, México, D.F.